Traducido por Diego de los Santos

Título original: *Ik en mijn dagje*
© Editorial Clavis Uitgeverij, Hasselt-Amsterdam, 2012
© De esta edición: Grupo Editorial Luis Vives, 2015

ISBN: 978-84-263-9572-6
Depósito legal: Z 1613-2014

Impreso en China.

Liesbet Slegers
MI DÍA

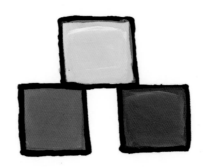

EDELVIVES

LA COMIDA

ESTA ES MI **TRONA**.
TENGO UNA TRONA ALTA.
«¡HOP!», YA ESTOY SENTADO.

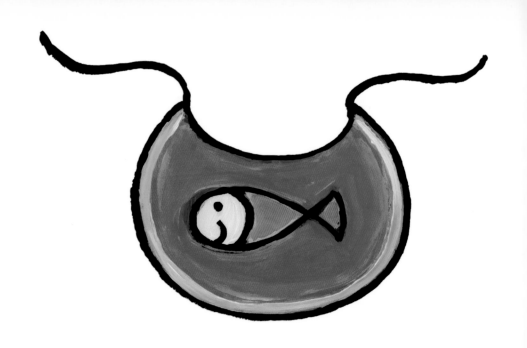

ESTE ES MI BABERO.
EN EL BABERO HAY UN PEZ.
¡MIRA, YA LO LLEVO PUESTO!

ESTE ES MI PLATO.
EN MI PLATO HAY UN SÁNDWICH.
¡ÑAM! LE DOY UN BUEN BOCADO.

ESTE ES MI **VASO**.
ESTÁ LLENO DE AGUA.
¡MIRA, LO SUJETO CON LAS DOS MANOS!

ESTA ES MI **CUCHARA**.
CON ELLA PUEDO COGER LA COMIDA.
¡MMM, QUÉ RICO ESTÁ EL YOGUR!

ESTOY APLAUDIENDO CON LAS MANOS.
HE COMIDO MUY BIEN.
¡BRAVO!

¡A JUGAR!

ESTE ES MI COCHE.
ME GUSTA JUGAR CON ÉL.
LO EMPUJO MUY LEJOS.
«¡PIII, PIII!».

ESTA ES MI PELOTA.
CON EL PIE LE DOY UNA PATADA.
¡MIRA, SE ALEJA RODANDO!

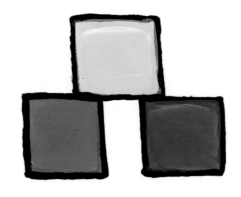

ESTOS SON MIS CUBOS.
PONGO UN CUBO ENCIMA DE OTRO.
¡MIRA QUÉ TORRE TAN ALTA!

ESTE ES MI TAMBOR.
TOCO EL TAMBOR CON UNOS PALILLOS.
«¡POM, POM!», ESTOY HACIENDO MÚSICA.

ESTE ES MI **LIBRO**.
ME GUSTA MUCHO MIRAR LOS DIBUJOS.
¡LEER ES MUY DIVERTIDO!

ESTE ES MI **VAGÓN**.
TODOS MIS JUGUETES ESTÁN DENTRO.
¡NOS VAMOS! ¡ADIÓS!

LA HORA DEL BAÑO

ESTA ES LA BAÑERA.
¡MIRA, SALE AGUA POR EL GRIFO!
LA BAÑERA SE ESTÁ LLENANDO DE AGUA.

ESTA ES MI **ROPA**.
¡MIRA, ME LA QUITO TODA!
YA ESTOY LISTO PARA DARME UN BAÑO.

ESTA ES MI ESPONJA.
LA MOJO Y LA LLENO DE JABÓN.
¡PUEDO LAVARME YO SOLITO
DE LA CABEZA A LOS PIES!

ESTE ES MI CHAMPÚ.
MAMÁ ME ESTÁ LAVANDO EL PELO.
¡QUÉ BIEN HUELE!

ESTE ES MI BARCO.
MUEVO EL AGUA DE LA BAÑERA
PARA HACER OLAS.
¡QUÉ DIVERTIDO ES JUGAR CON EL BARCO!

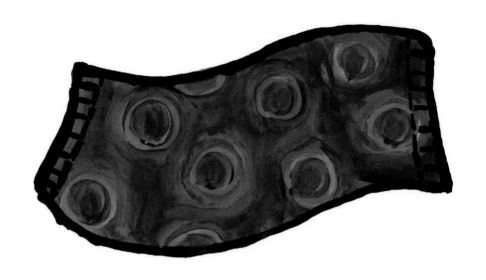

ESTA ES MI TOALLA.
ES SUAVE Y ESTÁ CALENTITA.
¡MIRA, YA ESTOY LIMPIO Y SECO!

LA HORA

DE DORMIR

ESTE ES MI PIJAMA.
ES ROJO Y TIENE LUNARES.
¡MIRA, YA ME LO HE PUESTO!

ESTAS SON MIS **ZAPATILLAS** DE CASA.
METO LOS PIES ¡Y YA ESTÁ!
¡MIRA, LLEVO MIS ZAPATILLAS!

ESTE ES MI **BIBERÓN**.
¡QUÉ RICO!
¡MIRA, ME ESTOY TOMANDO EL BIBERÓN!

ESTE ES MI LIBRO.
ESTÁ LLENO DE DIBUJOS.
¡MIRA, ESTOY LEYENDO MI LIBRO!

ESTE ES MI OSITO DE PELUCHE.
ES MUY SUAVE.
¡MIRA CÓMO ABRAZO
A MI OSITO DE PELUCHE!

Y AHORA ME VOY A LA **CAMA**.
VOY A DORMIR MUY BIEN.

¡BUENAS NOCHES!